Monarch caterpillars shed their skin 5 times in 2 weeks and increase in size 2,000 times. From egg to butterfly in 35 days.

Red-Breasted Hawk

Double-crested Cormorant

Cormorant swimming

Black-Crowned Night Heron

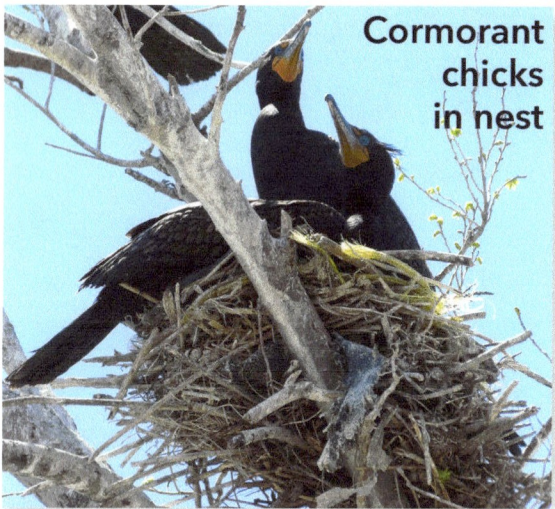
Cormorant chicks in nest

Cormorants make a bulky nest of sticks and junk, such as rope, deflated balloons, fishnet, and plastic debris.

Fecal matter below Cormorant nests can kill the nest trees.

Monarch caterpillars may chew on the vein of a milkweed leaf so that the leaf will bend.

Mullein Moth Caterpillar

Milkweed Tussock Moth Caterpillar

Caterpillars are the larva stage of butterflies and moths.

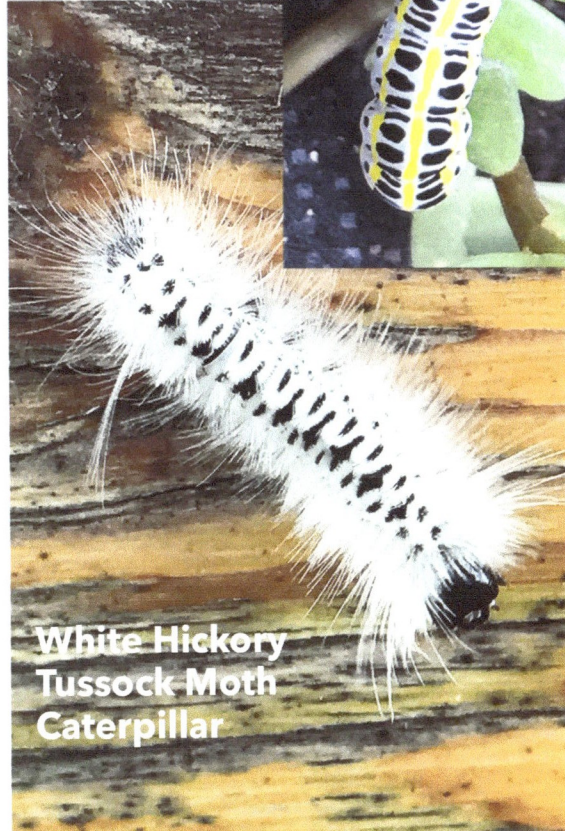

White Hickory Tussock Moth Caterpillar

IsabellaTiger Moth Caterpillar

Trumpeter Swan

Canada Goose

Mute Swan

Leucistic Female Mallard

Mallard Duck

Great Blue Heron

Cormorant Fledgling

Exeter, Ontario is home to white squirrels

Red-Tailed Hawk

Skunk wearing a pop can

Email: Barbara@Fanson.net

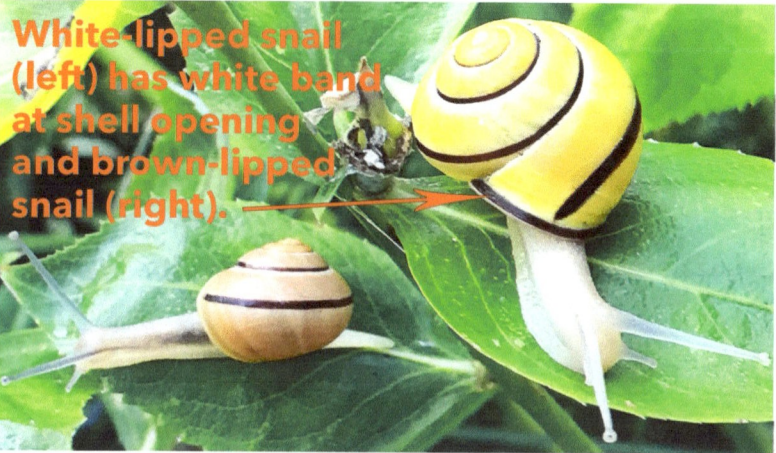

White-lipped snail (left) has white band at shell opening and brown-lipped snail (right).

Black-Crowned Night Heron

Coyotes

January 2021

Sunday	Monday	Tuesday	Wednesday	Thursday	Friday	Saturday
Male monarch has a black dot on the hind wing.			When a butterfly rests, the wings are together; moths lay their wings down. A moth (right) has thicker antennae.		New Year's Day **1**	**2**
3	**4**	**5**	**6**	**7**	**8**	**9**
10	**11**	**12**	**13**	**14**	**15**	**16**
17	**18**	**19**	**20**	**21**	**22**	**23**
24	Family Literacy Week **25**	**26**	**27**	**28**	**29**	**30**
31						

Cedar
Waxwing

Black-Eyed
Junco

Chipping
Sparrow

Northern
Cardinal

Blue Jay

A Hummingbird
with wry neck

Swainson's
Thrush

Song
Sparrow

House Sparrow
Female

Mourning Doves
enjoy bird-seed.

February 2021

Sunday	Monday	Tuesday	Wednesday	Thursday	Friday	Saturday
Hummingbirds like bean flowers	1	2	3	4	5	6
7	8	9	10	11	12	13
Valentine's Day 14	Family Day (Canada) 15	16	17	18	I Read Canadian Day 19	20
21	22	23	24	25	26	27
28		Black-Eyed Susans		Purple Coneflowers		Butterfly Bush

Do you see the curled proboscis, which is used to absorb nectar?

When a monarch butterfly emerges from the chrysalis, the proboscis is split into 2, but the butterfly sticks it in and out to zip it together as one.

Can you see the proboscis which a butterfly uses to absorb nectar from flowers?

March 2021

Sunday	Monday	Tuesday	Wednesday	Thursday	Friday	Saturday
		1	National Read Across America Day Dr. Seuss Bday **2**	**3**	**4**	**5** **6**
7	**8**	**9**	**10**	**11**	**12**	**13**
3.14 Pi Day **14**	March Break **15**	**16**	St. Patrick's Day **17**	**18**	**19**	First Day of Spring **20**
21	**22**	**23**	**24**	**25**	Purple for Epilepsy Awareness Day **26**	Earth Hour **27**
28	**29**	**30**	Eiffel Tower Day **31**			A J-Cat will stay in this pre-pupa stage 18 – 24 hrs

House sparrow fledgling

House sparrow female

Young rabbit

A robin brings lunch.

A robin fledgling

A robin brings a moth.

April 2021

Sunday	Monday	Tuesday	Wednesday	Thursday	Friday	Saturday
				1	Good Friday **2** World Autism Awareness	**3**
Easter **4**	**5**	**6**	**7**	**8**	**9**	**10**
11	**12**	Scrabble Day **13**	**14**	**15**	**16**	**17**
18	**19**	**20**	**21**	Earth Day **22**	**23**	**24** Independent Bookstore Day.
25	**26** Professional Administrator's Day	Tell a Story Day. Read a book aloud. **27**	Superhero Day **28**	**29**	**30**	Monarch lays eggs

Mallard Duck Variations

Thayer's Gull

American Coot

Leucistic Mallard Duck lacks pigment

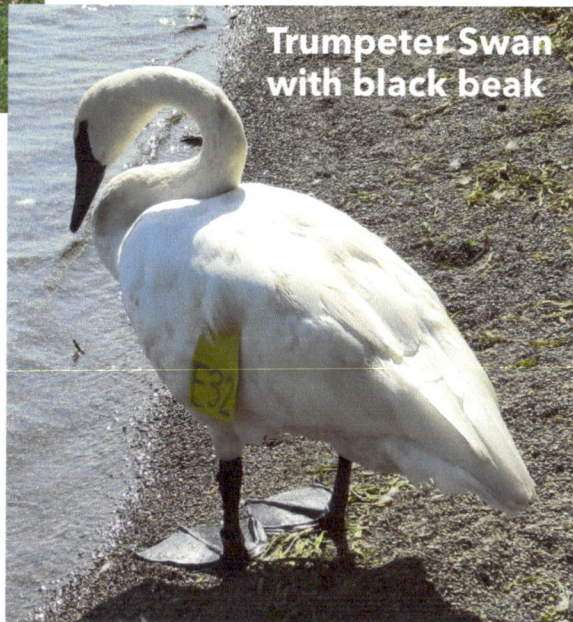

Trumpeter Swan with black beak

Ringed-Bill Gull with chick

Male Lesser Scaup

Ross's Goose

Mute Swan with orange beak with cygnets

May 2021

Sunday	Monday	Tuesday	Wednesday	Thursday	Friday	Saturday
				Monarch caterpillars can look lighter or darker. But, don't leave a caterpillar with a chrysalis because they may take a bite.		**1**
Catholic Education Week May 2 – 7 **2**	May 2 – 9 Canadian Children's Book Week May 2 – 9 **3**	May the Fourth be with you. **4**	**5**	**6**	National Child & Youth Mental Health Day **7**	**8**
Mother's Day **9**	**10**	**11**	**12**	**13**	**14**	**15**
16	**17**	**18**	**19**	**20**	**21**	**22**
23	Victoria Day **24**	**25**	**26**	**27**	**28**	**29**
30	**31**					

From the book *Robin Sees a Monster*

Canada Goose beside nest

Mallard Ducklings

Baby Raccoon

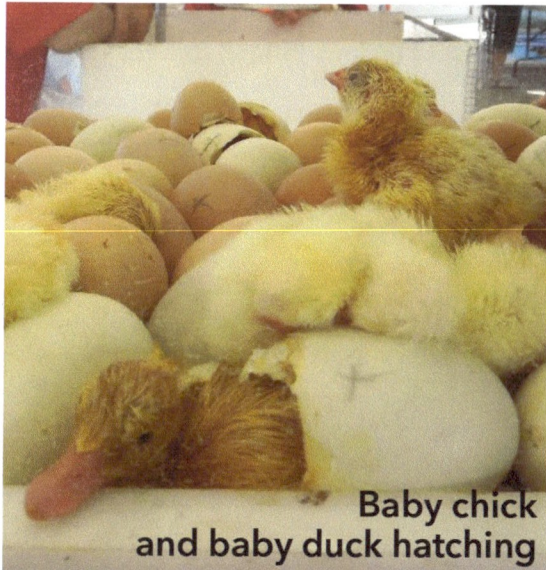
Baby chick and baby duck hatching

Canada Goose and gosling

European Starling Fledgling

European Starling

Mute swan with cygnets

June 2021

Sunday	Monday	Tuesday	Wednesday	Thursday	Friday	Saturday
	A caterpillar molts or sheds 5 times in 2 weeks. It will stop eating for a day, wander away from food, and step out of its skin.	National Donut Day **1**	**2**	National Egg Day **3**	**4**	**5**
6	**7**	**8**	**9**	Ballpoint Pen Day **10**	Robert Munsch's Birthday **11**	**12**
13	**14**	**15**	**16**	**17**	**18**	**19**
Father's Day **20**	National Indigenous Peoples Day **21**	**22**	**23**	**24**	**25**	**26**
27	**28**	**29**	**30**			The face cap (left) falls off after a caterpillar finishes molting or shedding its skin.

Baltimore Oriole

Red-tailed Hawk

Cooper's Hawk

A male Northern Cardinal feeds a female during mating season.

Sandpiper

American Goldfinch Male

American Goldfinch Female

Black-Capped Chickadee

White-Breasted Nuthatchet

Northern Flicker

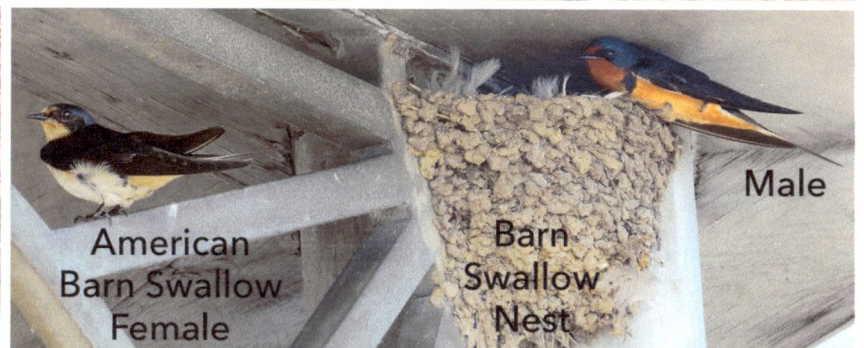

American Barn Swallow Female

Barn Swallow Nest

Male

July 2021

Sunday	Monday	Tuesday	Wednesday	Thursday	Friday	Saturday
		Exeter, Ontario is home to white squirrels		Canada Day (Canada) 1	2	3
Independence Day (U.S.) 4	5	6	7	8	9	10
11	12	13	14	National Ice Cream Day 15	16	World Emoji Day 17
18	19	20	21	22	23	24
25	26	27	28	29	30	31

Monarch
butterflies
mating

Female
butterfly
deposits egg

Monarch
egg under
milkweed leaf

Tiny
caterpillar
hatched

Caterpillars
molt + lose
facecap 5 times

5 sizes
of caterpillars
on leaves

Monarch Butterfly Life Cycle Photos

Email: Barbara@Fanson.net

Caterpillar
in J-position
splits skin

Shedding
caterpillar
reveals chrysalis

Caterpillar
may eat
a chrysalis

After 10 days,
butterfly
ready

Butterfly
emerges from
chrysalis

Butterfly
sipping
nectar

August 2021

Email: Barbara@Fanson.net

Sunday	Monday	Tuesday	Wednesday	Thursday	Friday	Saturday
1	Civic Day 2	3	4	5	6	7
8	Book Lover's Day 9	10	11	12	13	14
15	16	17	18	19	20	21 Flight of the Monarch Day
22	23	24	25	26	27	28
29	30	31		Viceroy Butterfly	Male Monarch	Female Monarch

White Admiral Butterfly

Monarch Butterfly

Black Swallowtails

Viceroy Butterfly (left) and Monarch (right)

High Brown Fritillary Butterfly

Painted Lady Butterfly

Cabbage White Butterfly

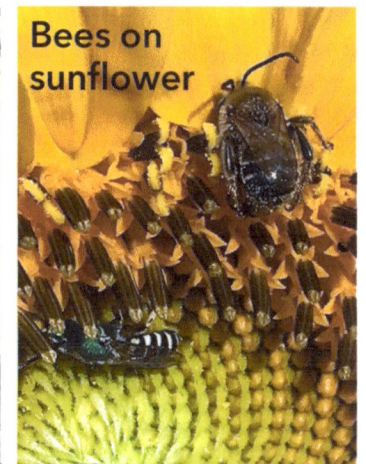
Bees on sunflower

September 2021

Email: Barbara@Fanson.net

Sunday	Monday	Tuesday	Wednesday	Thursday	Friday	Saturday
	Migrating fourth generation monarchs have a wider wingspan.		1	2	3	4
5	Labour Day 6	7	8	9	10	11
12	13	14	15	16	17	18
19	Science Literacy Week 20	21	22	23	24	25
26	27	28	29	30		White Admiral Butterfly

Urquhart Butterfly Gardens

William Connell Park

Albion Falls

Monarch Butterflies on sunflowers

Cormorants

Pumpkin Parts

Peduncle

Lid

Ribs

Seeds & Pulp Inside

Blossom End

October 2021

Sunday	Monday	Tuesday	Wednesday	Thursday	Friday	Saturday
					1	2
3	4	5	6	7	8	9
10	11 Thanksgiving Day (Canada)	12	13	14	15	16
17	18	19	20	21	22	23
24	25	26	27	28	29	30
31 Halloween						

Stink bug top

Crane Fly

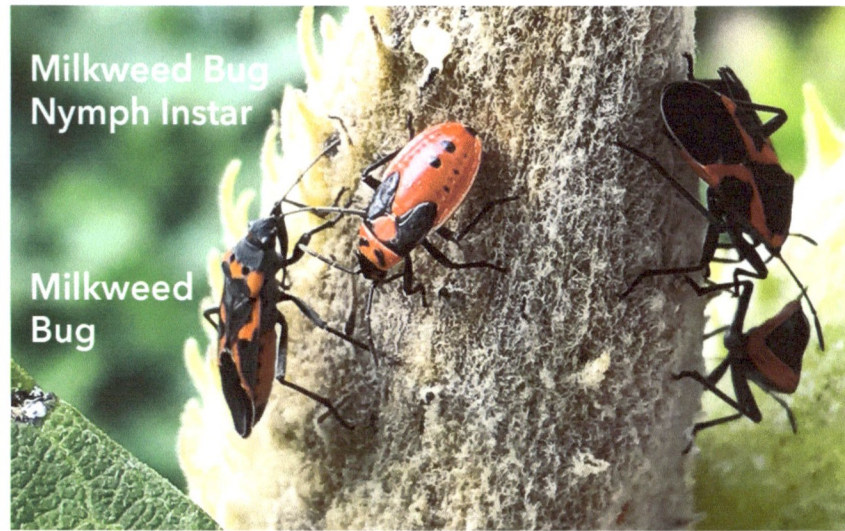
Milkweed Bug Nymph Instar

Milkweed Bug

Yellowjacket Wasp

Red-Banded Leaf Hopper

Japanese Beetles

Grasshopper

Ladybug eats aphids

Milkweed Bugs Male and female

November 2021

Sunday	Monday	Tuesday	Wednesday	Thursday	Friday	Saturday
November is National Novel Writing Month	1	2	3	4	5	6 Daylight Saving Time ends
7	8	9	10	11 Remembrance Day (Canada) Veteran's Day (U.S.)	12	13
14 National Down Syndrome Awareness Week	Bully Awareness Week 15	16	17	18	19	20
21	22	23	24	25	26 Thanksgiving (U.S.)	Black Friday 27
28	Cyber Monday 29	30	I've seen 8 Cormorant nests in 1 tree near the Burlington Bay Skyway Bridge.			

Chipmunk
with acorn

White-tailed
deer in Dundas

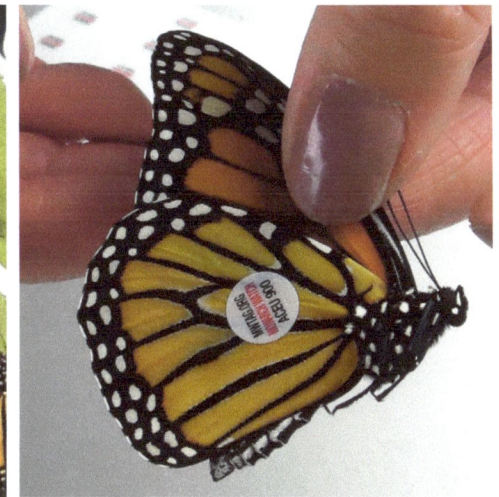

MonarachWatch.org
provides stickers so that
monarch butterflies can be
tagged on the discal cell
and released. The sticker has
a number so that if
anyone spots a butterfly
between here and Mexico,
they can report the number.

Shirl the Squirrel
admires
a pumpkin

Downy
Woodpecker

A chipmunk raids
a birdfeeder.

December 2021

Email: Barbara@Fanson.net

Sunday	Monday	Tuesday	Wednesday	Thursday	Friday	Saturday
Monarch Egg	Monarch Caterpillar	Monarch Chrysalis	1	2	3	4
5	6	7	8	9	10	11
12	13	14	15	16	17	18
19	20	21	22	23	Christmas Eve 24	Christmas Day 25
Boxing Day 26	27	28	29	30	New Year's Eve 31	

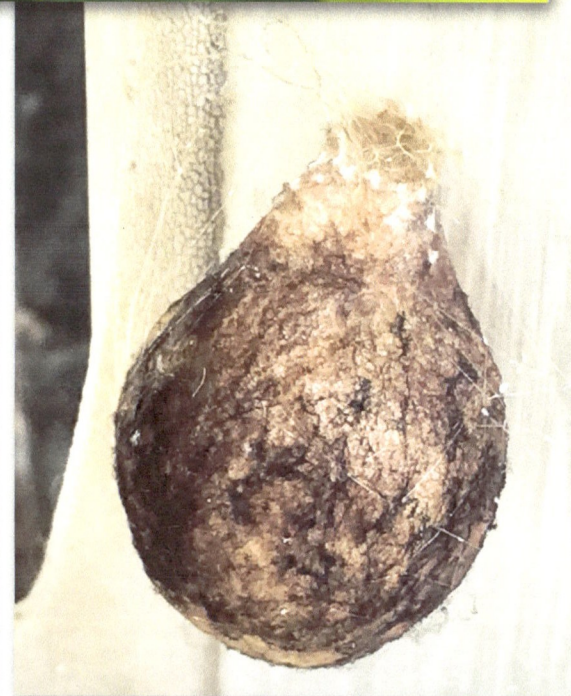

The Black and Yellow Garden Spider appeared one morning with a zippered web. She wraps bugs that are caught while she waits for a male to arrive. A spider sac of tiny eggs was left nearby.

www.ingramcontent.com/pod-product-compliance
Lightning Source LLC
Chambersburg PA
CBHW06082827032026
41931CB00002B/98